W9-CTV-517